52集动画电视连续剧配套图书

三国演义

9 连续剧第17—18集

原著 罗贯中
主编 周柏林

北京鹏远翔文化传媒有限公司 出品
Beijing Future Culture And Media Co.,Ltd.
湖南少年儿童出版社 出版
HUNAN JUVENILE & CHILDREN'S PUBLISHING HOUSE

图书在版编目（CIP）数据

三国演义 . 9 /（明）罗贯中原著；周柏林主编 .—长沙：湖南
少年儿童出版社，2009.4
ISBN 978-7-5358-4315-9

Ⅰ . 三… Ⅱ . ①罗…②周… Ⅲ . 漫画：连环画—作品—
中国—现代 Ⅳ . J228.2

中国版本图书馆 CIP 数据核字（2009）第 049814 号

三国演义**9** |

原　　著：罗贯中
主　　编：周柏林　　　　　　　总 策 划：酒海燕　陈红军
项目统筹：戴卫平　赵英著　雷焕平　责任编辑：陈嫦娥　刘玉琼
文字编辑：王　垚　葛荣华　梅秋慧
美术编辑：黎俊杰　王　垚　刘宗林　米砚麟　卞　婧

动画制片人：周凤英　石畑俊三郎
动画总编剧：王大为
动画分集编剧：邹　健　张　泉　王　鹏　涂晓晴　马雪莲　何　辉　戴　杰　孙　敏
动画总导演：朱　敏
动 画 导 演：沈寿林　大贺俊二
动画造型设计：陈连运
动画场景设计：俞臻彦

出 版 人：胡　坚
出版发行：湖南少年儿童出版社
社　　址：湖南省长沙市晚报大道 89 号　　邮　　编：410016
常年法律顾问：北京长安律师事务所长沙分所　张晓军律师

发行单位：全国新华书店
北京鹏远翔文化传媒有限公司（地址：北京市海淀区彰化路银利娜物业
西区 3A 楼 403 号）　　　　邮　　编：100097
电　话：010-51638190（总机）　　010-51638192（销售部）
传　真：010-51638196　　网　址：www.futurebj.com
承印单位：北京画中画印刷有限公司
印　张：3　　　　　　　　开　本：880mm×1230mm　1/32
版　次：2009 年 7 月第 1 版　　印　次：2009 年 7 月第 1 次印刷
定　价：11.80 元

本卷情节

　　徐庶化名单福，帮助刘备大败曹仁，并一举攻占樊城。曹操得知徐庶是个孝子，便以徐庶母亲为人质，逼他来投。无奈之下，徐庶挥泪告别刘备。临走前，他向刘备举荐了隐居在卧龙冈的诸葛亮。

　　求贤若渴的刘备三顾茅庐，终于求得诸葛亮出山辅佐。曹操派夏侯惇、李典率大军再次讨伐刘备。诸葛亮调兵遣将，借助地利巧妙布阵，以火攻之计在博望坡大败曹军，不仅立下了初出茅庐的第一功，而且消除了众将的疑虑，树立了威信。

动 画 片 出 品：中央电视台青少节目中心 北京辉煌动画公司 央视动画有限公司
　　　　　　　　未来行星株式会社 株式会社多美
动 画 片 制 作：北京辉煌动画公司 未来行星株式会社
电视节目联合发行：北京辉煌动画公司 北京鹏远翔文化传媒有限公司
音 像 制 品 发 行：中国国际电视总公司
配 套 图 书 出 版：湖南少年儿童出版社
配 套 图 书 发 行：北京鹏远翔文化传媒有限公司
衍 生 产 品 开 发：株式会社多美 北京辉煌动画公司

刘备

字玄德。汉景帝之子中山靖王刘胜的后代。心怀光复汉室之志，弘毅宽厚，广得人心。不仅有关羽、张飞两位结义兄弟相助，更得谋士徐庶指点。三顾茅庐后，求得诸葛孔明出山，如虎添翼，共图伟业。

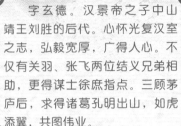

诸葛亮

字孔明，号卧龙。相貌伟岸儒雅。有经天纬地之才，鬼神不测之机。受刘备三顾之礼，遂出山相助。善用天时地利，于博望坡火烧曹军十万人马，初出茅庐建立第一功。

张飞

字翼德，刘备结义三弟。身长八尺，豹头环眼，肤色黝黑。使丈八蛇矛，勇猛善战，位列五虎上将之二。脾气暴躁，好喝酒。虽一介武夫，但礼遇贤士，初对诸葛亮心怀成见，博望坡一战后，对其佩服得五体投地。

关羽

字云长，刘备的结义二弟。身高九尺，面如重枣，长髯飘拂，相貌堂堂。蜀国五虎将之首，使一把重达八十二斤的青龙偃月刀，神勇无敌。跟随刘备三顾茅庐，终于求得诸葛亮出山相助。

徐庶

字元直。少年时代喜爱练剑，行侠仗义。与诸葛亮、司马徽、庞统等人相交甚好。有名的孝子，长坂坡之战时，因母亲被曹操挟持，无奈之下，北投曹操，但在临走前向刘备"走马荐诸葛"，并立誓在曹营"终身不设一谋"。

曹操

字孟德，小名阿瞒。一代奸雄，精兵法，谋略过人，用人唯才。官渡之战后，刘备投靠刘表，被安排在新野，在徐庶的策划下，攻占了樊城。曹操得知后，以徐庶的母亲为人质，胁迫徐庶归附。

三国演义

第17集 三顾茅庐

官渡之战后，曹操乘胜南下。

刘备无力抵抗，投奔荆州的刘表，被安置在新野。

在那里，刘备遇到了一位名叫单福的神秘人士。

三国讲堂

三国歇后语：阿斗当皇帝 —— 软弱无能

刘备拜单福为军师。

单福用计大败曹仁，攻占了樊城。

三国小谜语：无期徒刑（打一人名）
答案在本书中找

许都。

末将把樊城丢了，罪该万死！

胜败乃兵家常事，你接受教训就行了。

本来打败刘备是易如反掌……

但是半路上杀出个单福来，此人精通兵法，诡计多端。

单福？

单福就是徐庶。他因误杀了人，所以改名换姓在外逃亡。

三国课堂

三国歇后语：曹操败走华容道 ——不出所料

新野城内。

军师，您的信。

啊！

母亲！

军师，发生了什么事？

我不得不离开主公了！

三国学堂

三国人名填字游戏：息息相（　），（　）毛丰满
答案在本书中找

刘备家中。

徐庶对我军的军情了如指掌……

我们不能放他走啊！

但是，我实在不忍心看他们母子离散。

主公，您只要把徐庶留下，曹操就会杀死他的母亲……

徐庶就会怨恨曹操，对主公也就会更加忠诚。

三国歇后语：蒋干盗书 ——聪明反被聪明误

如果你的母亲被扣，你还能说出这样的话吗？

……

我要把曹操说过的话反过来说。

宁让天下人负我，不让我负天下人！

三国歇后语：对着张飞骂刘备 ——找气惹

我想到有一个人可以帮您！

有这等人物？他是谁？

主公若得此人相助，就可将整个天下囊括于手中。

他复姓诸葛，名亮，字孔明，号卧龙……

住在襄阳城外二十里的卧龙冈中。

孔明……

加！

三国学堂

山路上。

孔明灯！

哇！

三国歇后语：关公照镜子——自觉脸红

三国讲堂

三国小谜语答案：关云长
谜面：无期徒刑

刘备兄弟三人前往卧龙冈。

这真是一个好地方啊！

都走了好几个时辰了，那条龙到底在哪儿？

三国歇后语：煮豆燃豆萁 ——自家人整自家人

卧龙冈诸葛亮的茅庐。

三国讲堂

三国人名填字游戏：衣食不（　），（　）皇失措
答案在本书中找

三国小谜语：荷叶枯干（打一人名）
答案在本书中找

分久必合，合久必分。想以人力定天下，不可，不可！

先生高见！

我虽知不可，为天下苍生却不能不尽全力……

还请先生助我！

三国讲堂

三国歇后语：关公射黄忠——手下留情

23

将军的抱负让我佩服……

但我不是孔明，而是他的朋友崔州平。

啊！原来是崔先生。

孔明一向淡泊名利，你连我都说服不了，又怎能说服他呢？

崔先生，您有杰出的才能，请您一定要助刘备一臂之力！

你可知这竹篓里面放的是什么药材？

三国学堂

三国人名填字游戏答案：关羽
息息相（关），（羽）毛丰满

当归！当归！

苍天如圆盖，陆地似棋局；
世人黑白分，往来争荣辱。

这家伙太无礼了！什么卧龙？就算是龙，卧着也没用处！

让你胡说八道，把天上的龙都惹怒了！

哇，要下雨了！

哗啦啦！

三国讲堂

三国学堂

三国人名填字游戏答案：王允
胜者为（王），（允）文允武

事不宜迟，我要早点儿见到卧龙先生！

大哥，你的病刚好，而且外面还下着大雪……

那家伙肯定是徒有虚名，所以躲着咱们。

三弟，你别说了，我今天一定要去！

大哥，那也不一定非得你亲自去啊，派个人叫他过来就行！

卧龙先生是名士，我们怎么能呼来喝去的呢？

这么大的雪，不能骑马！

那我们就走着去！

三国学堂

28

三国人名填字游戏答案：周仓
衣食不（周），（仓）皇失措

刘备兄弟三人冒着风雪徒步去寻访诸葛亮。

三国歇后语：鲁肃讨荆州 ——空手而去，空手而回

三国讲堂

三国人名填字游戏：改弦更（　），（　）刀不老
答案在本书中找

三国歇后语：关羽流鼻血 ——红上加红

刘备三兄弟进了茅庐。

先生，那个大耳朵的人又来了！

卧龙先生！

嗯？

这个人就是那个汉左将军、宜城亭侯、领豫州牧、皇叔刘备。

三国学堂

三国人名填字游戏：纲举目（　　），（　　）沙走石
答案在本书中找

三国歇后语：吃曹操的饭，想刘备的事 ——人在心不在

这是我家三公子！

在下诸葛均。

原来如此！那卧龙先生什么时候能回来呢？

二哥与崔州平赏梅去了，我也不知道他什么时候回来！

既然是这样，我写封信留给你二哥，改日再来拜访吧！

请！

请一定转交给你家先生！

诸葛均将刘备兄弟三人送到门外。

二哥不在，我就不留各位了。

小丫环无礼，主人也无礼！

那个崔州平也是，知道我们要来见诸葛亮，还拉他去看梅花！

三国讲堂

三国人名填字游戏：身无分（　　），（　　）态百出
答案在本书中找

春天到了。

大哥！

两位将军，皇叔正在沐浴。

大哥！

沐浴？这么郑重，准备去哪里？

皇叔说今日要去拜访卧龙先生。

什么？又要去？

云长、翼德，你们怎么了？

有话好好说！

我们在庭院里备了好酒，你却又要······

酒就回来再喝吧！现在我要去请卧龙先生。

三国课堂

三国歇后语：赵子龙战长坂 ——浑身是胆

大哥，你还记得今天是什么日子吗？

当然记得！七年前的今天，我们三人结为兄弟。

没忘就好，这大好的日子你去见诸葛亮干什么？

正因为今天是个特别的日子，我才去请他。这叫双喜临门啊！

我们请了他好几次，他要真有心，就应该来回访。

诸葛亮只是个村夫，要见他，我去用绳子把他捆来！

我意已决！翼德，你这样没礼貌，这次就不要去了！

要去大家一起去，不然就谁都不去！

你去了会得罪卧龙先生。

你是大哥，你说了算，我都听你的还不行？

好吧！别添麻烦就行。

诸葛亮的茅庐。

嘎嘎嘎……

哎哟！

嗯？

三国歇后语：张飞戴口罩 —— 显大眼

哈哈哈——

你们又来干什么？

小姑娘，不用怕，你家先生回来了吗？

昨夜刚刚回来……

现在还在睡觉，要不要叫醒他？

不用，我们就在这里等着吧！小姑娘，你这是去哪里？

赶鸭子上架啊！

嗯？

三国讲堂

三国小谜语答案：刘表
谜面：汉朝文书

三国演义

第18集 孔明出山

茅庐外刘备还在苦苦等待。

大哥，你坐一会儿吧。

你别给大哥添乱！

那家伙太傲慢了，我一把火烧了他的屋子，看他起不起来！

三国讲堂

三国人名填字游戏答案：张宝
改弦更（张），（宝）刀不老

啊？都过了两个时辰了，你们还等着呀！

我去叫醒先生。 姑娘不可！

大梦谁先觉？平生我自知。草堂春睡足，窗外日迟迟。

啊，先生醒了！

三国讲堂

三国课堂

三国小谜语答案：张飞
谜面：展翅翱翔

茅庐内。

皇叔过奖了，我只不过是个山野村夫。

久闻先生大名，今日得见真是三生有幸。

徐元直称赞先生才学天下无双，恳请先生赐教一二，刘备感激不尽。

皇叔想听什么？

我身为皇室后裔，日夜期盼能振兴汉室，望先生赐教。

三国小谜语：事事齐全说汉高（打一人名）
答案在本书中找

现在天下已乱，我又能做什么呢？

我的劲敌都有谁？

我想请教先生，在这乱世当中，我如何才能脱颖而出？

皇叔请看！

西川五十四州图

曹操在北方，挟天子以令诸侯，无人可敌。

孙权在南方，占据江东之险，势力根深蒂固，不可动摇。

皇叔可与孙权结交……

三国学堂
三国人名填字游戏：休戚相（　），（　）步青云
答案在本书中找

我就将此图赠给皇叔，愿皇叔早日成就大业！

恳请先生出山相助，刘备随时可得先生教诲。

我过惯了闲云野鹤的生活，实难从命！

先生不出山，乱世就无法终结，黎民百姓何时才能安居乐业？

请皇叔原谅，我不能从命。

先生不出山，天下苍生还能指望谁？

三国学堂

唉！躲了那么久，还是躲不过，明知不可为，还是要为之！

我一定把先生当做老师！

既然皇叔诚意相请，我只能跟皇叔走了。

蒙主公不弃，我愿效犬马之劳。

先生，做孔明灯的纸买回来了。

三国学堂

三国歇后语：诸葛亮娶丑妻——为事业着想

告诉三先生，好好打理那几亩地，待我大功告成后再回来耕种。

先生！

许都。

日后定成为祸患，要尽早除掉他。

丞相，刘备日夜在新野练兵。

那就命你率兵十万，荡平新野！

刘备是个英雄，现在又得诸葛亮相助，我们不可轻敌。

这些鼠辈，我一定活捉他们，带回许都！

可诸葛亮有经天纬地之才，神鬼莫测之机。

他比你怎么样？

荒谬！

如果我是萤火之光，那他就是皓月之明。

一个山野村夫，有什么好怕的？

那好，希望你能早传捷报，让我安心。

放心，我绝不会让丞相失望！

刘备的书房。

二哥！

见识诸葛亮本事的时候到了。

曹军来了？

夏侯惇率十万大军正往新野方向而来。

三国游堂

58

三国人名填字游戏答案：张飞
纲举目（张），（飞）沙走石

大哥成天说他得诸葛亮就如鱼得水，那就让这水淹了曹军吧。

智谋要依赖诸葛亮……

但勇武还要依赖两位贤弟。

你们可不要推托！

新野城内。

孔明先生，强敌逼近，您有何良策？

退敌不难，但我有一个条件。

先生请讲！

恐关、张二位将军不服，请主公将象征兵权的剑和印借我一用。

这个容易！

三国歇后语：黄忠抡大锤 ——老当益壮

传令众将，前来听令！

军师有令，诸将到议事厅听令！

三国讲堂

三国小谜语：山东宁静（打一人名）
答案在本书中找

议事厅。

赵云，你率一千人迎战夏侯惇，只许败，不许胜，引他追击。

是！

主公，您率兵三千，接应赵云，同样只许败，不许胜，诱敌深入。

是！

关平，你率五百人藏于林中，待敌深入后放火。

是！

三国谜堂
三国小谜语答案：关羽
谜面：孔雀不开屏

我们都去打仗，不知军师做些什么？

关羽、张飞！

你们各率一千人马，埋伏在左右山中，等见到火光就一起出击。

我镇守县城，准备庆功宴。

我们拼命厮杀，您却坐在家里，好自在啊！

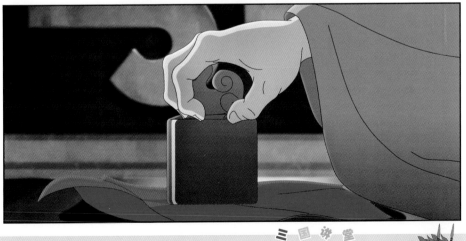

剑、印在此，违命者斩！

啊？

难道你们没听说过"运筹帷幄之中，决胜千里之外"？

三弟，不可违令！

众将都对诸葛亮半信半疑。

我们先看看他的计谋怎样……

到时候再来问他也不迟。

军师，曹军来势凶猛，是不是先避避？

皇叔不用担心，只要与赵云呼应，全力作战即可。

我怎么能不担心？

三国学堂

三国小谜语：凿壁借光（打一人名）
答案在本书中找

夏侯惇率大军来到博望坡前。

前面是什么地方？

是博望坡。

嗯？

他发现前来迎战的都是一些老弱残兵。

哈哈哈，徐元直还夸诸葛亮呢，竟然用这等兵马为前锋与我对阵……

三国讲堂

三国歇后语：鲁肃宴请关云长 ——暗藏杀机

那不等于是送羊入虎口！

看来三天就可以活捉刘备和诸葛亮。

三天？三天我还嫌长呢！

常山赵子龙在此！

谁敢与我一战？

将军，不可轻敌，在徐州我和他交过手，那家伙很厉害！

有这等事！

今天我就让你看看，什么是真正的高手！

呀！

嗨！

当！

三国课堂

三国人名填字游戏答案：关平
休戚相（关），（平）步青云

三国歇后语：关云长卖豆腐 —— 人硬货不硬

我征战十多年，还用你来提醒！

撤，快撤！

追，给我追上去！

将军，您看！

刘备在此！

哎哟！

看看！这也能算伏兵？

三国人名填字游戏：完璧归（　），（　）淡风轻
答案在本书中找

啊！

当！

战了两个回合，刘备掉头就跑。

取刘备脑袋者，赏钱一万！

上将军是你还是我？

将军，穷寇莫追，要小心！

三国讲堂

三国歇后语：张飞卖肉 ——光说不割

赵云和刘备故意在前面慢慢跑。

曹军在后面追。

他们跑不动了，快追！

曹军追进一片茂密的树林里，刘备忽然踪迹全无。

三国人名填字游戏答案：孔明
千疮百（孔），（明）目张胆

停！

啊！

曹军后面的树林起火。

射！

树林里燃起熊熊大火，曹军四处逃命。

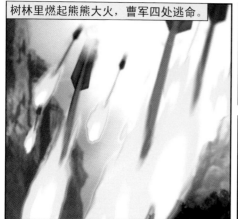

三国谜堂

三国小谜语答案：陶谦
谜面：五柳先生也折腰

撤，快撤！

啊！

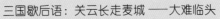

三国讲堂

三国小谜语答案：孔明
谜面：凿壁借光

啊！

关羽在此！

埋伏在另一边的关羽也冲了出来。

将军快走！

落在后面的李典、于禁及时赶到。

三国歇后语：诸葛亮吊孝 ——装模作样

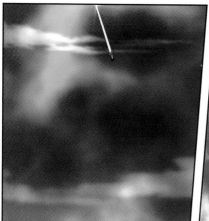

三人拼死战斗，这才逃了出来。

十万曹军被诸葛亮一把火烧得干干净净。

三国歇后语：张飞扔鸡毛 ——有劲难使

诸葛亮到城外迎接凯旋的刘备等人。

军师神机妙算，我服了！

军师，从今以后，您要我朝东，我绝不朝西。

哈哈哈！

那些话回家说给嫂夫人听吧。

庆功宴已准备好了，大家请吧！

三国学堂

三国人名填字游戏：狗尾续（　　），（　　）不知雪
答案在本书中找

81

新野城内刘备大摆庆功宴。

大家可不能把军师灌醉了，否则，我们如何打败曹操？

这一次赢得痛快！

这都是军师的功劳。

主公，曹操虽然输了，但他一定不会就此罢休！

怕什么，有军师这样的"水"，又有我们这样的"鱼"……

曹操来了，咱就叫他有来无回。接着咱们就来个水淹许都！

三国歇后语：诸葛亮招亲 ——才重于貌

你从什么时候变得这么能说？

借了点儿酒劲。哈哈哈！

军师有何计策？

新野是个小县城，易攻难守，不可久留。

听说刘表病重，皇叔可占据荆州与曹操对抗。

主公，成大事者不拘小节。

不行。

刘表曾经帮过我，我怎么能忘恩负义呢？

嗯？

我们还是另想办法吧！

三国歇后语：孔明弹琴退仲达 ——临危不乱

吃了败仗的夏侯惇等人来向曹操负荆请罪。

主公！

算了，是我小看了诸葛亮，是我的错。

如果我听了于禁和李典的劝告，早已踏平新野！

好！

于禁和李典听着，我封你二人为上将！

你二人随我一起出征！

丞相要亲征？

刘备、孙权是我的心腹大患，不灭了他们，我就不能安心……

三国游堂

三国人名填字游戏答案：貂蝉
狗尾续（貂），（蝉）不知雪

如果三国人物活在今天，会发生什么故事呢？请看小编们的创意吧！

家长会

期中考试成绩下来了！

徐庶看到他的成绩单。

哇！

这次考试我退了八名，马上要开家长会，让我爸知道……

那你不是死定了？

90

请你编一个小故事，在故事前面的横线上拟个标题，并在对话框中填写合适的对白，然后沿虚线裁剪下来。如果写不下，就按照序号写在纸上，寄给我们。我们将从来稿中评出优秀作品，大奖等你拿！还有机会出版哦！

_____

我们的地址：北京市海淀区彰化路银利娜物业西区3A楼403号
我们的邮编：100097
请将你的姓名和电话写在下面的横线上吧。
姓名：＿＿＿＿＿＿＿＿　　电话：＿＿＿＿＿＿＿＿

小作者信息: 姓名: 李朝阳　　地址: 河北省邯郸市

自尊心

女儿, 为爹爹弹奏一曲吧?

您想听哪一首呢?

唉, 无所谓!

好吧……

吱啦

小编们
从热心小读者的众多
来稿中千挑万选，选出了精彩作品
刊登在这里。大家看看是不是很棒啊？欢
迎大家继续踊跃来稿。记住，
你也有机会哦！

谁有菜刀？我
不想活了。

可他们都说很
好听呀！

哪个傻瓜
说的？

老爷，要是我们不说好
听，她早就不想活了。

主编寄语：有趣的创意。可怜的王司徒就像《皇帝的新衣》里面的小男孩，说出
了地球人都知道的真话。最佩服那些仆人们的忍耐力了，呵呵。编写得不错，加
油啊！

动作玩偶　刘备

闪亮登场！

蜀国君主，字玄德。重义气，深受部下信赖，很得众人爱戴。蜀军上下团结，与刘备相关的佳话多为人和人之间的关系以及刘备本人的品格等。

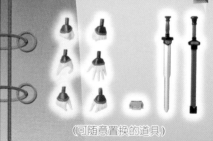

（可随意置换的道具）